THE HOBBIT ™

AN UNEXPECTED JOURNEY

Fotogids

BOEKERIJ

THE HOBBIT

AN UNEXPECTED JOURNEY

Fotogids

'In een hol onder de grond
woonde een hobbit...'

De Boekerij bv
Postbus 100
1000 AC Amsterdam

Oorspronkelijke titel: *The Hobbit: An Unexpected Journey. The Movie Storybook*
Uitgegeven door: HarperCollins *Children's Books*
Copyright tekst © Paddy Kempshall
This translation © 2012 Boekerij bv
Vertaling: Renée Vink
Zetwerk: Mat-Zet bv, Soest
Nederlands omslag: DPS design & prepress services, Amsterdam

Text by Paddy Kempshall

ISBN 978-90-225-6302-1

Printed and bound in Italy.

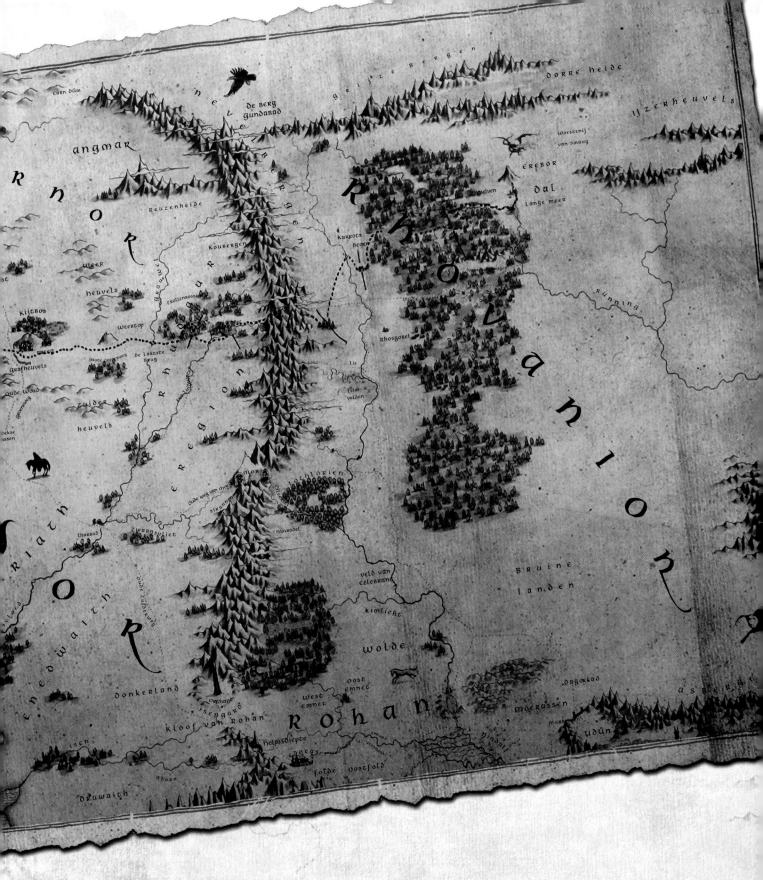

De Eenzame Berg, of Erebor, was eens de legendarische woonplaats van de dwergenkoningen en een oord vol rijkdom. Dat was voor de komst van Smaug, de grote draak. In een storm van vuur en bloed verdreef Smaug de dwergenkoning uit zijn woonplaats, en zijn volk werd tot in de verste uithoeken van Midden-aarde verstrooid.

De Eenzame Berg werd het hol van Smaug. Terwijl de bevolking heimelijk op de glorieuze terugkeer van de koning hoopte, waagden slechts weinigen een moedige poging om Erebor op zijn kwaadaardige bewoner te heroveren. Tot op heden…

Op een mooie morgen in de Gouw zit Bilbo Balings na een smakelijk ontbijt voor zijn hobbithol Balingshoek. Er komt een oude man op hem af die van top tot teen in het grijs gekleed is, met een punthoed en een grote staf.

Bilbo beseft niet dat deze vreemde figuur de legendarische tovenaar Gandalf de Grijze is, die wil dat hij mee op avontuur gaat!

'Nee, dank u, we willen hier geen avonturen,' zegt Bilbo beleefd. 'Vandaag niet.'

Daarmee haast hij zich zijn hobbithol weer binnen en hij staat er verder niet meer bij stil.

Buiten loopt Gandalf in zichzelf lachend op de ronde, groene deur van Bilbo's huis af. Hij kerft er met zijn staf een vreemd teken in…

De volgende dag wordt er hard op de deur gebonsd. Als hij opendoet, ziet Bilbo tot zijn verrassing een grote, harige dwerg staan!

'Dwalin, tot uw dienst,' bromt de dwerg, terwijl hij langs Bilbo loopt.

Voordat Bilbo beseft wat er gebeurt, wordt er weer op de deur geklopt. Nu is het een tweede dwerg, Balin genaamd.

Opnieuw een klop, en er komen nog twee dwergen aan, die zich voorstellen als Fíli en Kíli. Net als Bilbo denkt: dat is dat, wordt er alweer op de deur geklopt. Ditmaal ziet hij tot zijn enorme verrassing nog acht dwergen: Óin, Glóin, Ori, Dori, Nori, Bofur, Bombur en Bifur – en Gandalf bovendien!

'Ik geloof dat we nog een dwerg missen,' zegt de tovenaar als hij de gang inloopt.
De arme Bilbo is totaal in de war. Plotseling klinkt er een harde klap op de deur, en een heel belangrijk uitziende dwerg stapt naar binnen.

'Mag ik je de leider van ons gezelschap voorstellen – Thorin Eikenschild?' zegt Gandalf.

Thorin legt uit dat hij de rechtmatige erfgenaam van Erebor is, de Eenzame Berg, en een queeste onderneemt om zijn koninkrijk terug te eisen. Het enige wat Thorin nodig heeft, is de hulp van een bekwame inbreker, en Gandalf heeft hem verteld dat Bilbo precies de juiste hobbit voor die klus is. Bilbo gelooft zijn oren niet!

Gandalf geeft Thorin een bijzondere kaart van Erebor en een sleutel. 'Deze runen spreken van een verborgen gang naar de lager gelegen niveaus,' zegt Gandalf, terwijl hij naar de kaart wijst.

Later die avond probeert Bilbo Gandalf duidelijk te maken dat zulke grootse, onverwachte avonturen echt niets voor hem zijn.

'Kun je me beloven dat ik terugkom?' vraagt Bilbo ongerust aan Gandalf. 'Nee,' antwoordt Gandalf somber. 'En als je wel terugkomt, zul je niet meer dezelfde zijn.'

Als Bilbo de volgende ochtend wakker wordt, rent hij zonder nadenken zijn huis Balingshoek uit, op pad voor een heel onverwacht avontuur!

Onderweg vertelt Gandalf Bilbo over zijn collega-tovenaar Radagast, die achter de Nevelbergen in het Demsterwold woont. Radagast houdt van alle planten en dieren, maar heeft ontdekt dat er in het woud een verschrikkelijke ziekte heerst. Hij heeft besloten Gandalf daarvan op de hoogte te stellen.

In het kamp van het gezelschap ontdekken Fíli en Kíli bij het verzorgen van de pony's dat er een aantal ontbreken.

Als officiële inbreker wordt Bilbo gevraagd op onderzoek uit te gaan, dus sluipt hij met Fíli en Kíli het donkere bos in. In de duisternis turen ze over een omgevallen boomstam en ontdekken een vreemd licht. Als ze dichterbij komen, zien ze drie trollen rond een vuur zitten. De trollen hebben de pony's gestolen en willen er hun avondeten van maken!

Bilbo sluipt stilletjes het kamp van de trollen in en probeert wanhopig de dieren los te maken, maar de knopen zitten te strak. Op dat moment ziet hij dat een van de trollen een stenen mes aan zijn riem heeft hangen. Hij probeert het mes te stelen, maar hij is niet zo'n goede inbreker als iedereen denkt, en hij wordt betrapt.

Als ze zien dat hun vriend in gevaar is, stormen Fíli en Kíli het geboomte uit en gaan in de aanval. Weldra arriveren Thorin en de overige dwergen, en zwaaiend met hun bijlen en hamers storten ze zich dapper in de strijd. Terwijl de dwergen tegen de trollen vechten, slaagt Bilbo erin om weg te sluipen en de pony's los te maken.

Hoe moedig en sterk de dwergen ook zijn, de trollen zijn sterker, en algauw worden de dwergen gevangengenomen. Bilbo en zijn vrienden worden in zakken gepropt en daarna kunnen ze alleen nog maar afwachten terwijl de trollen besluiten hoe ze hun nieuwste, smakelijke buit gaan klaarmaken.

Juist als het er heel slecht uitziet voor het gezelschap, beginnen de trollen ruzie met elkaar te maken. Ze ruziën zelfs zo erg dat ze niet beseffen dat het licht wordt.

Met een kreet duikt Gandalf plotseling boven op een nabijgelegen rotsblok. Hij slaat met zijn staf op de rots onder zijn voeten. Als die splijt, stromen de eerste stralen van de zonsopgang door het gat heen en ze overspoelen de trollen met zonlicht. Die veranderen prompt in steen!

Omdat ze weten dat de trollen ergens in de buurt een hol moeten hebben, gaan Thorin en Gandalf op zoek. Algauw ontdekken ze een verborgen grot. Daar vinden ze drie prachtige zwaarden, en het is duidelijk dat dit speciale wapens zijn. Gandalf, Thorin en Bilbo nemen elk een van de zwaarden, en de reis wordt snel voortgezet.

Wanneer ze de grot verlaten hoort de groep een vreselijk geluid: er jagen woeste wargs op ze. Huilend en tandenknarsend komen twee van deze reuzenbeesten het geboomte uit stormen, bereden door bloeddorstige orks.

'Trek jullie wapens!' roept Gandalf, en de dwergen storten zich weer in de strijd.

Thorin zwaait zijn nieuwe zwaard en hakt in één forse klap de kop van een warg af, zodat het met een smak op de grond valt. Dan mikt Kíli zorgvuldig en schiet één enkele pijl zoevend door de lucht – recht in de kop van de andere warg. Die is op slag dood.

'Wegwezen!' roept Gandalf. 'Volg mij!'

Met de wargs op de hielen leidt Gandalf de groep door de wildernis de heuvels in onder aan de Nevelbergen. Wanneer de vijand op hen inloopt, leidt hij het gezelschap net op tijd een verborgen vallei tussen de rotsen in.

'Welkom in het Laatste Huiselijke Huis ten oosten van de zee,' zegt Gandalf.

Bilbo en zijn vrienden zijn aangekomen in Rivendel. Deze woonplaats van de elfen is een geheim, magisch oord waarin de kwaadaardige wargs hen niet durven te volgen. Maar dwergen en elfen zijn geen al te beste vrienden, en sommige leden van de groep gaan Rivendel niet graag binnen.

'Waarom zoeken we onze toevlucht bij de vijand – elfen,' zegt Glóin vol afkeer. Hij huivert.

Maar als ze dieper in de vallei doordringen, maakt Bilbo zich daar geen zorgen meer over. 'Het lijkt wel magisch,' zegt hij, verwonderd over de vredige schoonheid van de verborgen vallei.

Ze worden ontvangen door Elrond, de heer van Rivendel. Als oude vriend van Gandalf biedt Elrond de groep graag een plek om uit te rusten.

Die avond onthult Elrond dat de zwaarden die Gandalf en Thorin gevonden hebben oeroude wapens uit de aardmannenoorlogen zijn en Glamdring en Orcrist heten. Dan laat Thorin Elrond zijn kaart van de Eenzame Berg zien. Elrond weet dat de vreemde lettertekens op de kaart maanrunen zijn.

'Maanrunen zijn alleen maar leesbaar bij het licht van een maan met dezelfde vorm en uit hetzelfde seizoen als waarin ze geschreven zijn,' zegt hij tegen hen.

Thorin boft dat deze nacht precies de juiste is om de runen te lezen! Wanneer de manestralen de kaart beschijnen, vertelt Elrond dat ze beschrijven hoe je een geheime deur naar het hol van de draak kunt openen.

Terwijl alle anderen slapen wordt Gandalf voor een belangrijke bijeenkomst met Elrond, Galadriel en Saruman uitgenodigd. Als leden van de Witte Raad is het hun taak te zorgen dat Midden-aarde tegen boze machten wordt beschermd.

'Er is iets gaande wat verder strekt dan het kwaad van Smaug,' zegt Gandalf. 'Iets wat veel machtiger is...'

Terwijl Gandalf op deze bijeenkomst is, zet de rest van de groep de reis voort, de Nevelbergen in.

Het gezelschap schuilt in een grot, in de verwachting daar de nacht veilig door te kunnen brengen.

Terwijl Bofur bij de ingang van de grot de wacht houdt, rolt Bilbo zich op en valt hij in slaap. Maar dan valt de bodem van de grot weg, zodat iedereen het duister in stort! Bilbo en zijn vrienden tuimelen halsoverkop een donkere, vochtige schacht door en belanden kletterend in een roestige kooi. Als ze tussen de tralies door turen, beseffen ze dat ze door aardmannen gevangen zijn genomen!

Omringd door een horde van die schurftige, slijmerige monsters worden de dwergen in een rij door de donkere tunnels weggeleid. Bilbo loopt achteraan en beseft ineens dat er geen aardmannen achter hem lopen. Hij grijpt zijn kans en glipt snel een schemerdonkere zijtunnel in om te proberen te ontsnappen.

Bilbo is toch niet zo onopgemerkt weggekomen als hij dacht en merkt al snel dat een aardman hem door de grotten achtervolgt. Wanneer het slijmerige, door littekens ontsierde schepsel dichterbij komt, trekt Bilbo zijn zwaard en ziet dat het een spookachtig blauw licht uitstraalt.

Met een sprong haalt de aardman naar Bilbo uit. Die glijdt al vechtend en struikelend uit, waarna hij samen met de aardman pardoes een donkere spleet in valt en nog dieper de duisternis beneden in tuimelt.

Dè aardman valt te pletter en Bilbo is nu alleen en verdwaald.

Bang kruipt Bilbo door de tunnels. Hij schuift voorzichtig door het donker, totdat zijn hand plotseling op iets stuit wat in het vuil op de grond ligt – een onversierde gouden ring. Bilbo stopt de ring in zijn zak en vervolgt zijn weg.

Op de tast bereikt Bilbo de oever van een ondergronds meer. Midden in het water ligt een eilandje en daarop zit een verschrompelde, grauwe gestalte ineengedoken. Het figuurtje op het eiland draait zich abrupt om en staart Bilbo met grote, gele ogen aan.

Dit vreemde wezen staat bekend als Gollem en woont al vele jaren in de grotten.

Bilbo legt uit dat hij een veilige uitweg zoekt, maar Gollem weigert hem voor niets te helpen. In plaats daarvan daagt hij Bilbo uit voor een raadselspel – met een dodelijke prijs. Als Bilbo wint, wijst Gollem hem de weg uit de grotten…

'Maar als Balings verliest,' zegt Gollem terwijl hij hongerig glimlacht, 'eetsen we het helemaal op!'

Bilbo en Gollem proberen elkaar te slim af te zijn maar kunnen geen van beiden een raadsel bedenken dat de ander niet kan oplossen. Uiteindelijk krijgt Bilbo een inval.

'Wat heb ik in mijn zak?' vraagt hij aan Gollem.

Gollem weet het antwoord niet en Bilbo heeft gewonnen! Maar wat hij niet weet, is dat de ring in zijn zak Gollems kostbaarste bezit is – zijn liefste. Gollem blijft proberen te raden wat Bilbo in zijn zak heeft. Dan komt er plotseling een afschuwelijke gedachte bij hem op – misschien is het zijn dierbare ring!

'Vervloek en verdelg ons, mijn liefje is weg,' jammert Gollem. 'Dief! Balings!'

Met een blik vol haat in zijn ogen springt Gollem op Bilbo af en hij achtervolgt hem door de tunnels om zijn dierbare ring terug te krijgen.

Als Bilbo probeert te vluchten, struikelt hij; de ring vliegt door de lucht en landt op Bilbo's vinger. Hij glijdt eromheen en begint zijn magie uit te oefenen.

Intussen worden Thorin en de dwergen steeds verder de aardmannenstad binnen gevoerd. Het gezelschap wordt voor de aardmannenkoning gesleept, een enorm wezen dat zelfs voor een aardman nog lelijk is. Thorin en zijn vrienden weigeren dapper ook maar iets over hun queeste te vertellen – dus beveelt de aardmannenkoning dat ze terechtgesteld moeten worden.

Net als het aardmannenleger wil toeslaan, is er in het donker een enorme lichtflits te zien. Gandalf is terug! Verblind en in verwarring geraakt door het licht rennen de aardmannen alle kanten op, en de dwergen grijpen hun kans. Ze pakken hun wapens en gaan in de aanval. Maar er zijn veel meer aardmannen dan de dwergen in hun eentje kunnen verslaan.

'Maar één ding kan ons redden,' roept Gandalf. 'Daglicht!'

Er verschijnen zwermen aardmannen die het gezelschap achtervolgen. Als de aardmannenkoning dichterbij komt, komt Gandalf naar voren en trekt het machtige zwaard Glamdring.

Gandalfs kling treft het hart van de aardmannenkoning en doodt hem. Ontmoedigd door de dood van hun koning vallen de aardmannen stil. Thorin en zijn vrienden maken van de aarzeling van hun vijanden gebruik en stuiven de grotten in.

Intussen probeert Bilbo nog steeds aan Gollem te ontkomen. Hij ontdekt dat hij met de ring aan zijn hand onzichtbaar is! Stilletjes volgt hij Gollem naar de uitgang van de grotten. Dan springt Bilbo over het ellendige schepsel heen en ontsnapt.

Plotseling duikt Bilbo achter het gezelschap op. Iedereen is blij dat ze weer bij elkaar zijn, maar er valt geen tijd te verliezen. De orks, die ineens op de rug van hun kwaadaardige wargs verschijnen, zijn er happig op de prooi die ze bij Rivendel zijn kwijtgeraakt te vangen.

Al snel is het gezelschap omsingeld. Gandalf denkt vlug na en beveelt iedereen in de bomen om hen heen te klimmen.

Tussen de bladeren gezeten kijken Bilbo en zijn vrienden hulpeloos toe terwijl er een nieuwe, nog dodelijker vijand aankomt. Rijdend op een enorme warg komt het afschuwelijke ork-opperhoofd in zicht.

Op een bevel van de ork vallen de wargs aan. Terwijl de enorme beesten beneden naar de bomen uithalen en ertegenaan rammen, krijgt Gandalf een idee. Voorzichtig vangt hij een mot tussen zijn handen, fluistert die een geheime boodschap toe en stuurt hem de donker wordende hemel in. Dan pakt hij wat dennenappels en tovert daarmee. Als hij ze op de grond smijt, barsten de dennenappels in vlammen uit en verbranden ze iedereen eromheen.

Helaas vatten ook de bomen waarin zijzelf
zijn geklommen vlam. Algauw zit iedereen
op een kluitje in de laatste boom. Beneden
cirkelen de wargs om hen heen en maken
zich op om hen te doden.

Voordat de orks de genadeklap kunnen uitdelen, schiet er uit de lucht een groep adelaars toe. Ze hebben Gandalfs boodschap gekregen en komen iedereen redden. Een voor een pakken de adelaars de groep met hun enorme klauwen op. Ze vliegen weg en laten de wargs machteloos in het brandende bos achter.

Al zijn ze gered en relatief veilig, het gezelschap kan zich niet ontspannen. Hun reis is nog maar pas begonnen.

De kwaadaardige draak Smaug heerst nog steeds over de Eenzame Berg en er valt nog veel te doen voordat Bilbo en zijn vrienden kunnen uitrusten. Op hun epische queeste staan hun nog veel meer gevaren, opwinding en avonturen te wachten.